Traduzione di Giulio Lughi

Sesta ristampa, dicembre 2020

Titolo originale: *Le monstre poilu*
Prima pubblicazione: Éditions Gallimard, Parigi
© 1982 Éditions Gallimard per il testo e le illustrazioni
© 2014 Henriette Bichonnier per le pagg. 6-7
© 2014 Pef per le pagg. 6-9
Tutti i diritti sono riservati
© 1985 Edizioni EL, per l'edizione italiana
© 2014 Edizioni EL, per la presente edizione
ISBN 978-88-6714-247-7

Fabbricato da Edizioni EL S.r.l., via J. Ressel 5,
34018 - San Dorligo della Valle (Trieste)
Prodotto in Italia

Stampato nel mese di novembre 2020
per conto delle Edizioni EL
presso LEGO S.p.A., Vicenza

HENRIETTE BICHONNIER - PEF

Il mostro peloso

EMME EDIZIONI

Com'è nato il mostro peloso
Il racconto di Henriette Bichonnier

La storia dei peli del *Mostro peloso*.

C'è un'antica storiella francese attribuita ai bambini (ma in realtà inventata dagli adulti, credo). Nelle scuole francesi si sente ancora oggi ripetere questa filastrocca:

Cari i miei marmocchi, peli sugli occhi,
abbiate rispetto, peli su petto,
della vecchiaia, peli sul sederino, a migliaia,
della virtú, peli anche laggiú…

La filastrocca incuriosisce molto gli studenti stranieri che imparano il francese. Pare, però, che abbia successo in tutte le lingue e «mettere i peli» è diventato un divertimento anche in Italia…

Ecco com'è nata la storia del *Mostro peloso*:

Un giorno mio marito e mio figlio Victor (che aveva cinque / sei anni all'epoca; ora ne ha trentotto e ha una bimba di sei anni e mezzo) stavano guardando alla televisione Mireille Mathieu che cantava *Bravo, hai vinto*. E insieme hanno iniziato a recitare: «Bravo, hai vinto, che festa! *peli sulla testa*, e io ho perso: è finita! *peli sulle dita*». E per tutta la durata della canzone hanno continuato ad aggiungere peli sui denti, sulle braccia, sul naso, ecc.

Pensai che avrei dovuto utilizzare questa idea per far ridere i bambini. Iniziai quindi a immaginare un mostro. A quel punto serviva una storia per mettercelo dentro. Le possibilità erano due:

1) il mostro era molto cattivo, mangiava gli abitanti del villaggio e alla fine veniva ucciso;

Pef: Ciao, peloso!
Il mostro: Ciao, peli sul viso.

2) il mostro era molto cattivo, ma diventava buono perché al villaggio trovava un amico.

Quando raccontai queste due versioni in una scuola, chiesi ai bambini quale delle due preferissero. Tutti dissero in coro: «Bisogna uccidere il mostro!». Tutti, tranne una bambinetta molto carina che assomigliava alla mia nipotina Jeanne, che adora questa storia.

La bimba disse: «No, no, non bisogna ucciderlo. Deve diventare gentile, buono e ricco, invece». Come nella storia della *Bella e la bestia…* Da quel momento questa idea cominciò a ronzarmi per la testa, fino a quando trovai: il giovane principino, *peli sul nasino*, la farfalla gigante, e vissero per sempre felici e contenti, *peli a quattro palmenti*.

Me la ridevo da sola, rileggendo la storiella. Telefonai a Pef per raccontargliela. Mi disse: «È la storia per me. Mandami subito il testo». Ed ecco qua il risultato, *peli sul palato*.

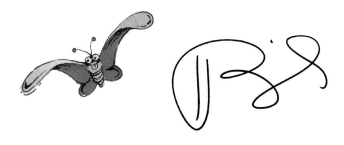

Il racconto di Pef

Il giorno della vigilia di Natale del 1981, Henriette Bichonnier mi chiamò e mi chiese se desiderassi «un regalo per l'orecchio». Accettai con piacere, e lei mi raccontò la storia di un mostro peloso. La mia gioia fu immediata.

Qualche mese piú tardi, Pierre Marchand, direttore editoriale di Gallimard Jeunesse, mi chiamò chiedendomi di lasciare da parte ciò cui stavo lavorando per recarmi da lui. Una volta lí, mi avrebbe spiegato perché. Ci incontrammo l'indomani, aveva davanti agli occhi il testo del *Mostro peloso* e solo pochi giorni per realizzare le illustrazioni prima della stampa. Accettai di farlo io. Era un mercoledí e da quel momento io e mia moglie (che fa la colorista) lavorammo ininterrottamente giorno e notte per tre giorni. Il lunedí mattina presentai il lavoro a Pierre Marchand e il giovedí seguente il libro veniva stampato. Fu un'esperienza indimenticabile.

Per illustrare quel libro mi ritrovai in uno stato di grazia. Attinsi ai miei ricordi di incontri con i bambini per trovare l'immagine della piccola Lucilla. Mi venne in mente una ragazzina incontrata in una scuola di Le Havre, un anno prima. Una bambina che, arrivando la mattina a scuola in ritardo, correva per i corridoi lanciando saluti

Ragazzino: Perché mangi solo i bambini piccoli?
Il mostro: Un agnello è molto meglio di un vecchio pecorone!

agli insegnanti: «Allora, eccoci qui, tutto bene? Tutto bene? Tutto bene?».

Va precisato che quel giorno era l'indomani della vittoria di François Mitterrand alle elezioni presidenziali. Quella ragazzina ignora il ruolo che le ho riservato nel libro. Credo che ora abbia piú di trentacinque anni.

Ragazzina: Perché sei vecchio?

Ho spesso raccontato la storia del *Mostro peloso* ai piccoli e ai piccolissimi, giocando con il loro delizioso terrore. Invitavo i ragazzi a creare dei suoni strani, dividendo le classi in tre gruppi. Un gruppo per immaginare il suono delle braccia elastiche, un altro per rappresentare gli occhietti crudeli e l'ultimo per riprodurre lo scalpiccio dei piedini del mostro. Spesso facevo mettere sul banco dei bambini una delle loro scarpe, in modo che ne tracciassero il contorno su un foglio e poi ci attaccassero dei peli di tutti i colori. Questi disegni venivano successivamente appesi ai muri della classe o lungo i corridoi.

Ma la piú bella reazione che ricordi resta quella di un piccolo gentiluomo di scuola materna, ben pettinato, vestito di tutto punto con completo, gilet e cravatta, seduto in prima fila durante una rappresentazione. Quando feci finta di volerlo divorare, disse rapidamente: «Io? No, grazie, ma se vuole mangiare la mia vicina, non ho niente in contrario».

Restai sbalordito.

Per concludere, questo libro rimane uno dei miei preferiti. Vive la sua vita, è stato tradotto in molte lingue, tra cui l'italiano. Anno dopo anno, non finisce mai di divorare bambini, proprio gli stessi che lo divorano con gli occhi.

Il mostro peloso

Nel bel mezzo di una foresta
fitta fitta, in una caverna umida
e buia, viveva un mostro peloso.
Era assolutamente ripugnante:
la sua testa era enorme, e da
essa uscivano direttamente due
piedini piccolissimi.
Per questo motivo non riusciva
quasi a camminare, e se ne stava
sempre nella sua caverna.

Aveva una bocca molto grande,
due occhietti azzurrognoli e
due braccia lunghissime e sottili
che uscivano dalle orecchie, con le
quali catturava facilmente i topi.

Aveva peli dappertutto:
sul naso, sui piedi,
sulla schiena, sui
denti, sugli occhi,
e anche in altri posti.

Il suo sogno era mangiare degli esseri umani. Tutti i giorni si appostava all'entrata della caverna e, con un ghigno sinistro, pensava: «Il primo che passa, me lo mangio». Ma di là non passava mai nessuno; la foresta era troppo fitta e troppo buia. E siccome il mostro non si muoveva a causa dei suoi ridicoli piedini, non era mai riuscito a catturare un essere umano. E tuttavia, pazientemente, continuava a pensare con un ghigno sinistro: «Il primo che passa, me lo mangio».

Finché un bel giorno capitò
che un re, che stava andando
a caccia nella foresta, smarrí
la strada. E senza accorgersi
si avvicinò alla caverna del
mostro peloso.
Improvvisamente due braccia
lunghissime uscirono dal buio
e lo trascinarono giú da cavallo.
– Haha! gridò l'orrenda bestiaccia,
finalmente si mangia qualcosa
di meglio dei soliti topi!

E già il mostro stava
spalancando la sua bocca
enorme, quando...
– Aspetta, aspetta!
gridò il re, se vuoi mangiar
bene c'è in giro della roba
molto piú saporita di me!
– Per esempio?
domandò il mostro.
– Qualche bambino morbido
e cicciottello, disse il re.
– Ah sí? Haha!
disse il mostro.

Legò alla gamba del re una corda
lunghissima, e disse che lo avrebbe
lasciato partire a patto che tornasse
indietro con un bel bambino da
mangiare.
Il re disse che avrebbe portato
il primo bambino che incontrava.
– Stai attento, però! disse il mostro, se
cerchi di imbrogliarmi me ne accorgo
subito e ti trascino di nuovo qui in un
batter d'occhio. Capito?
– Capito, disse il re.
Salí sul suo cavallo e galoppò fino
ai margini della foresta. Lí si fermò,
prese dalla bisaccia un paio di grosse
forbici e cercò di tagliare la corda
che lo teneva legato al mostro.
Ma era tutto inutile: la corda non
si lasciava tagliare.

Nello stesso istante, come da
lontano, si udí la voce del mostro
che ridacchiava:
– Haha, sí sí! Prova, prova
a fare il furbo!
Il re, scoraggiato, risalí in sella.
Attraversò un villaggio sperando
di trovare qualche bambino.
Ma niente da fare: per le strade
non ce n'era neanche uno, erano
tutti a scuola.

E il re continuava a galoppare,
sempre con la gamba legata. Era
ormai arrivato nelle vicinanze del
suo castello quando vide proprio
davanti a sé, in mezzo alla strada,
una bambina che correva saltellando
allegramente.
– Ecco quel che fa per me, si disse.

Ma quale non fu la sua sorpresa, non appena giunse piú vicino, nel vedere che la bambina altri non era che sua figlia, la piccola Lucilla, scappata dal castello per andare a comprare dei lecca-lecca.

Il re la sgridò:
– Ti avevo proibito di succhiare i
lecca-lecca! E ti avevo proibito anche
di uscire dal castello!
Ma subito dopo,
ricordandosi della
promessa che
aveva fatto al
mostro:
– Ah, se tu
sapessi...,
disse, e le
raccontò tutto.

All'altro capo della corda, nella sua caverna umida e buia, il mostro sentiva ogni parola.
– Hahahaha! sogghignava, niente imbrogli, eh! Voglio subito quella bambina, altrimenti...

Il re si mise a piangere e la piccola
Lucilla dovette consolarlo.
– Non piangete babbo, diceva,
io vado volentieri dal mostro
che mi vuole mangiare.

– Ah, sventurata! singhiozzava il
padre. Fece montare a cavallo la
bambina e si diresse verso la
caverna, dove il mostro lo guidava
tirando la corda.
Giunto che fu, depose tremando
la figlioletta. Il mostro slegò la
corda e ordinò al re di andarsene
immediatamente.
Poi si girò verso la bambina,
che aspettava educatamente con
le mani dietro la schiena.

– Haha! gridò il mostro, ora ti faccio la festa!

– *Peli sulla testa*, disse Lucilla.

– Come? domandò il mostro,
sorpreso.
– Ho detto *"Peli sulla testa"*
perché tu hai i peli sulla testa,
rispose Lucilla.
E infatti era vero. Era logico
che avesse peli sulla testa, visto
che aveva peli dappertutto.

– Ah, mi prendi in giro, piccola insolente?
– *Peli sul dente.*
Il mostro chiuse subito la bocca perché,
anche se era un mostro orgoglioso
di essere peloso, un po' si vergognava
di avere i peli perfino sui denti.

Ma si riprese subito:
– Ora basta, facciamola finita!
– *Peli sulle dita*.

– Smettila, cosa credi?
– *Peli sui piedi.*

– Io li mangio, i marmocchi!
– *Peli sugli occhi.*

– Preferisci che ti sbrani?
– *Peli sulle mani.*

– Se credi di farmi pena...
      – *Peli sulla schiena.*

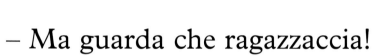

– Ma guarda che ragazzaccia!
– *Peli sulle braccia.*

– Bada, non avrò pietà!
      – *Peli a volontà!*

Il mostro, fuori di sé, si rotolava
per terra in preda a una collera furiosa.
Da vedere era anche carino, poverino.
– Non sono modi da brava bambina!
– *Peli sulla pancina.*
– Lo giuro, ti mangerò!
– *Peli sul popò.*

Era troppo.

Il mostro, pieno di rabbia, cominciò

a gonfiarsi,

a gonfiarsi,

a gonfiarsi...

... finché esplose in tanti piccolissimi
pezzetti che volarono di qua e di là,
trasformandosi in farfalle di tutti i
colori e in fiorellini profumati.

Ed ecco che da sotto la pelle dell'orribile mostro peloso comparve un giovanottino, ma cosí carino, ma cosí grazioso, che Lucilla non ne aveva mai visto uno eguale.

– Io sono un giovane principino - *peli sul nasino* -, disse con un sorriso affascinante e dolcissimo nello stesso tempo. – Tu mi hai liberato - *peli sul palato* - da un terribile malocchio - *peli sul ginocchio* -, hai distrutto la prigione - *peli sul tallone* - dov'ero rinchiuso - *peli sul muso* - per un incantamento - *peli sul mento* - di un malvagio folletto - *peli sul petto* -. Ora sono libero, che meraviglia - *peli sulla caviglia* -. E se vuoi prendermi per marito - *peli sul dito* -, vivremo felici e contenti - *peli a quattro palmenti* -.

La proposta era molto interessante.
Lucilla accettò immediatamente e
i due giovani volarono via in groppa
a una farfalla gigante.
Da quel giorno, non si sentí mai e
poi mai piú parlare del mostro peloso.

Fine della storia - fine dei peli.

HENRIETTE BICHONNIER (Clermont-Ferrand 1943 - Parigi 2018). Laureata in Lingue e lettere moderne, è stata insegnante di inglese, ma la sua grande passione era la scrittura. Giornalista e autrice di divertentissime storie per ragazzi (*Il mostro peloso*, *La bellezza del re*, *Il ritorno del mostro peloso*, *Pizzicamí*, *Pizzicamé e la strega*, *Il dragone puzzone*), ha attinto direttamente dal mondo dell'infanzia l'ispirazione per le sue invenzioni linguistiche e narrative. I suoi libri sono tradotti in tutto il mondo.

PEF è nato in Francia nel 1939. Autore e illustratore tra i piú originali nell'editoria per ragazzi, ha pubblicato il suo primo libro a quarant'anni, dopo aver fatto alcuni dischi di musica per bambini con la cantante Anne Sylvestre. Prima ancora aveva fatto i mestieri piú diversi: giornalista, collaudatore di auto da corsa, responsabile delle vendite di profumi...